19 junio 2020

EL BARCO
DE VAPOR

Pupi llega a la Tierra

María Menéndez-Ponte

Ilustraciones de Javier Andrada

sm

fundación sm

La Fundación SM destina los beneficios
de las empresas SM a programas culturales
y educativos, con especial atención a los
colectivos más desfavorecidos.

Si quieres saber más sobre los programas
de la Fundación SM, entra en
www.fundacion-sm.org

LITERATURA**SM**•COM

Primera edición: abril de 2015
Quinta edición: agosto de 2019

Gerencia editorial: Gabriel Brandariz
Coordinación editorial: Paloma Muiña
Coordinación gráfica: Lara Peces

© del texto: María Menéndez-Ponte, 2015
    Autora representada por IMC Agencia Literaria S.L.
© de las ilustraciones: Javier Andrada, 2015
© Ediciones SM, 2015
    Impresores, 2
    Parque Empresarial Prado del Espino
    28660 Boadilla del Monte (Madrid)
    www.grupo-sm.com

ISBN: 978-84-675-7775-4
Depósito legal: M-6198-2015
Impreso en la UE / *Printed in EU*

Para Carolina y Nicolás Nistal García
y para su abuelo Benedicto García Villar,
con quien comparten historias y juegos.

En una lejana galaxia,
a miles de años luz de la Tierra,
se encuentra un pequeño planeta
llamado Azulón. Es tan diminuto
que está habitado únicamente
por tres azuloides:
el papá, la mamá y el hijo.

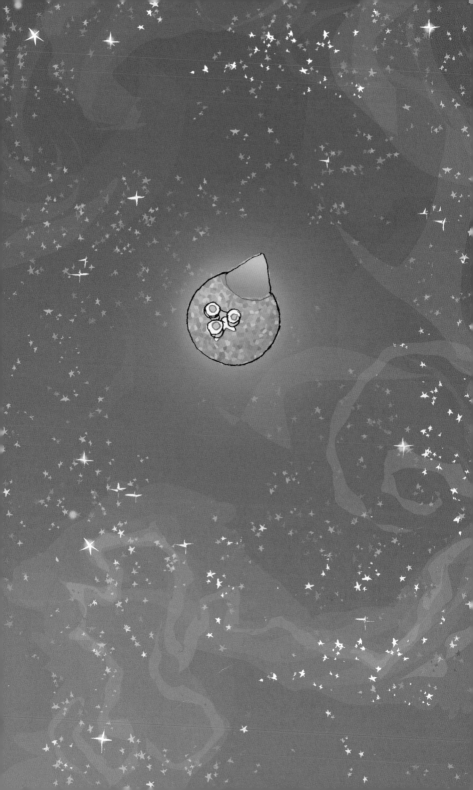

Los azuloides son
unos simpáticos extraterrestres
de color azul, con dos antenas en la cabeza
y un gran botón en la barriga
que cambia de color según sus sentimientos.

Habitualmente lo tienen de color naranja;
eso significa que están contentos.
Pero si en algún momento se ponen tristes,
el botón se vuelve gris.
Si algo les hace enfadar, rojo,
y cuando se asustan, pasa a ser morado.

–¡Atención, atención,
enviando sueño azul al cosmos!
–les anuncia la mamá por telepatía,
que es el modo en que se comunican
los azuloides, a través de sus antenas.
    Tiene en la mano
un sueño precioso y tan brillante
como una de las numerosas estrellas
que cubren el techo de su planeta.

El pequeño azuloide lo contempla extasiado.
Su mamá hace los sueños más bonitos
que nadie pueda imaginar.

11

¡PIIIM, PAAAM!,
suena al lanzarlo por el universo.
  —Mira, Lila, parece un cometa
—le teledice el pequeño a su querida mascota.
  Lila ha sido el mejor regalo
que le han hecho jamás al azuloide,
su tesoro más preciado.

Nació de una de las plantazules
que cuida su papá y, desde entonces,
los dos son inseparables.
Él recuerda muy bien
la emoción que le produjo
ver crecer esa planta bellísima
con una flor que de pronto, al abrirse,
soltó a Lila: PLOF.

Lo que más le sorprendió
al pequeño azuloide fue su color.
¡No era azul, como todo lo de su planeta,
sino lila! Su papá dijo que seguramente
la semilla se habría mezclado
con algún pigmento rojo
procedente de otro planeta.

   «¡Qué *retequetebonita*!
¡Y qué *dulcimable*! ¡Y qué *orinal*!»,
pensó al cogerla en brazos
por primera vez
(quería decir «original»,
pero es que el pequeño
a menudo se lía con las palabras).

En el planeta Azulón hay otro sonido
que suele escucharse con frecuencia:
POM, POM, POM...

Son los botes que da el papá
cuando cuida y riega sus plantazules.
Estas plantas, mágicas y muy delicadas,
se alimentan de las gotas azules del arco iris.

Cada una es única en su especie:
de una sale música;
de otra, imágenes bellísimas o historias...
Esas historias son las que han ido alentando
la imaginación del pequeño azuloide
y han sembrado en él sus ansias de aventura.

Últimamente solo sueña con tener una nave
para poder ir a descubrir otros planetas.

–Pimpam, yo hago *soñozul*!
–le pide a su mamá.

Ella le descubre el secreto
de cómo se hacen los sueños
y, después de varios intentos,
el azuloide consigue ese sueño
que tanto deseaba.

Está tan contento que su botón
parece una espectacular puesta de sol.
   —¡Ven, Lila, vamos a enviarlo
a otro *plataneta*!

Durante algún tiempo
(no sabemos cuánto,
porque en su planeta
no existen los minutos,
ni las horas, ni los días...),
el pequeño azuloide espera ansioso
a que su sueño se cumpla.

    Y un buen día,
las estrellas le envían un mensaje
que lo deja bastante asustado:
    –¡*Coscorro, coscorro*!
¡*Meterrito* pim pam pum
contra *plataneta* Azulón!
–alerta a sus papás, desesperado.

Y de pronto...
¡¡¡BAAANG!!!
Un objeto desconocido
impacta contra el planeta.

La curiosidad del pequeño azuloide
es mayor que el miedo de sus papás,
y corre a observar de cerca el meteorito.
–¡No es *meterrito*, es nave *especial mía*!
–les informa, entusiasmado.

En efecto, lo que ha impactado
contra el planeta es una nave.
En su interior, el pequeño encuentra
un cuaderno de viaje muy viejo.
En él hay dibujos de un Principito
que habla de un planeta llamado Tierra
y de que le gusta dibujar corderos.
También habla de una rosa y de un zorro.

Ese cuaderno inflama sus ganas
de descubrir otros mundos.
¡Cómo le gustaría ver un cordero
y una rosa y un zorro...!

Pero antes debe reparar la nave.
Con el golpe, se le han caído algunas tuercas.

Una vez que ha hecho
los correspondientes ajustes,
el pequeño azuloide se siente incapaz
de ponerla en marcha.
Por más que le da a todos los mandos,
no hay manera de hacerla funcionar.

«¡Qué nave más tonta!»,
piensa enfadado.
Su botón está al rojo vivo
y sus antenas se ponen a girar descontroladas.

–¡*Cataclás, cataclás,* a por *venturas* irás!
–telexclama.

Nada más emitir la orden,
la nave se vuelve tan brillante
como una estrella amarilla
y, poco a poco, se eleva hasta salir
del socavón en el que había caído.

31

Sus papás acuden presurosos a despedirse.
Aunque les da mucha pena que su hijo se vaya,
saben que no pueden frenar su afán aventurero.
Y se consuelan pensando que,
cuando regrese, traerá novedades
que serán buenas para su planeta.

Su papá le da una de sus plantas
para que les haga compañía a él y a Lila.
Y su mamá le entrega
el germen de un sueño venturoso
que les dará suerte en el viaje.

A continuación, la nave sale disparada
hacia mundos desconocidos.

En medio de la soledad del universo,
el pequeño azuloide se encuentra
con su primer obstáculo:
un laberinto de agujeros negros
que debe sortear.

De súbito, la nave se ve atraída
irremisiblemente hacia uno de ellos.
El azuloide intenta todo tipo de maniobras
para esquivarlo. Si los engulle,
¡estarán perdidos!

En un santiamén,
la nave se ve envuelta en tinieblas.
Es como estar dentro de un pozo muy oscuro.
Los dos se sienten atemorizados
y juntan sus antenas para darse ánimo.

Luego escuchan
un desagradable chirrido,
seguido de un frenazo en seco.
¡¡¡Bien!!! Están en un planeta,
no en un agujero negro, se felicitan.
¿Será la Tierra?

Pero, al salir de la nave,
el pequeño azuloide se siente decepcionado.
«¡Qué *plataneta* más *cochipuerco*!», piensa.
Y más cuando se les acercan sus habitantes,
que parecen muy poco amistosos
y van sembrando porquería a su paso.

–Hola, soy un azuloide
del *plataneta* Azulón y soy *dulcimable*
–los saluda por telepatía.

–¿Dulcimable? ¡Puaj!
¡K-k-futis! ¡K-k-futis! –telexclaman.
–¿Tenéis corderos?
–¡Puaj! ¡K-k-futis! ¡K-k-futis!

–¿Y rosas?
–¡Puaj! ¡K-k-futis! ¡K-k-futis!
–¡Jopeta, qué *plataneta* tan k-k-futis!
Yo me voy de aquí.

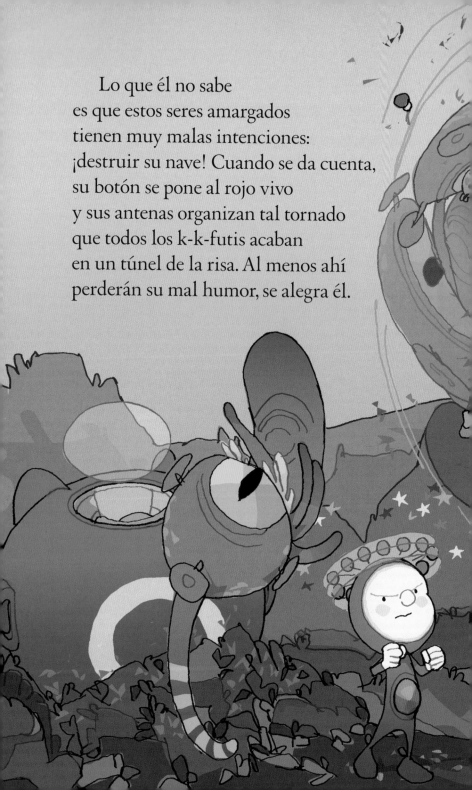

Lo que él no sabe
es que estos seres amargados
tienen muy malas intenciones:
¡destruir su nave! Cuando se da cuenta,
su botón se pone al rojo vivo
y sus antenas organizan tal tornado
que todos los k-k-futis acaban
en un túnel de la risa. Al menos ahí
perderán su mal humor, se alegra él.

Pero todavía le esperan
unos cuantos avatares en diferentes planetas
antes de poder aterrizar en la Tierra.

Uno de ellos será el del *potencioso*,
un robot cuadriculado
que solo quiere mandar y mandar,
o el de los chisgarabís,
unos seres casi transparentes
y con las antenas cruzadas
que lo vuelven loco con sus contradicciones.

Apenas ha salido
de esta última aventura,
cuando la nave se ve atraída
hacia la órbita de Pestilón,
el planeta de un malvado mago
llamado Pinchón. Este mago,
que vive para fastidiar a los demás,
le ha lanzado un maleficio
para que la nave dé vueltas y más vueltas
alrededor de Pestilón.

En el último momento,
el pequeño azuloide
logra una asombrosa maniobra
que rompe el maleficio
y deja al mago descolocado.

–¡Stupidigusani, os encontraré
y os haré la pascuina!
–grita Pinchón, enfadado.

La nave, después de la maniobra,
ha salido propulsada a toda velocidad
y va a estrellarse precisamente contra...
¡la Tierra!

PUN-PAN-PUN-CATAPÚN.

La nave choca contra una tapia
y aterriza en el arenero de un colegio.
El pequeño azuloide sale dando botes
por todo el patio como una pelota.
Su botón parece una col morada.

Bego y Blanca,
dos gemelas curiosas y atrevidas,
corren hacia ella.
Pero se quedan impactadas
al ver que no es una pelota
sino un pequeño extraterrestre.

–¿Te has hecho pupa?
–le pregunta Blanca,
vocalizando exageradamente
para ver si entiende lo que le dice.

«¡*Oh, tiza!*», se maravilla él.
¡De la boca de los terrícolas
salen cataratas de sonidos!
    Nunca ha visto tal cosa,
porque él siempre
se ha comunicado por telepatía,
y le parece fascinante.

Piensa que es un juego
e intenta repetir el sonido
que a él le resulta más familiar,
el que se parece al nombre de sus padres.

   –Pu... pu... pu... –tartapupitea.

El pequeño azuloide
hace verdaderos esfuerzos
por poner la boca como los terrícolas
y soplar para que le salga el sonido igual,
pero no le resulta fácil.

–Pu... pu... pup... ¡PUPIII!

–¡Se llama Pupi! –grita Nachete.
Es un amigo de las gemelas,
loco por los dinosaurios
y por la ciencia en general.

El resto de compañeros lo rodean
y todos hablan a la vez.

—Se-lla-ma-Pu-pi
—repite el azuloide de carrerilla,
orgulloso de lo bien
que le ha salido el sonido.
　　—No, tú eres Pupi
—le dice Blanca señalándolo.
　　—No-tú-e-res-Pupiii
—repite él señalándola a ella.

–¡Jo, cómo mola!
–exclama Coque muerto de risa.

Este niño, que está acostumbrado
a que le compren todo lo que pide,
está pensando cómo podría quedárselo.

–¡*Jocomola, jocomola, jocomola*!
–repite el azuloide dando saltos de alegría.

Los niños se ríen.

Y Pupi se ríe.

Los terrícolas le gustan,
son *superestupenfásticos*.
Su botón ya no está morado, sino naranja.
Se siente feliz entre tantos amigos.

Los niños quieren
que se quede en el colegio
y van a decírselo a Alicia, la profesora,
que al verlo tan pequeño, gracioso e inocente,
accede a quedárselo en su clase.

Y como también va a necesitar
una mamá que lo cuide,
Conchi, la conserje del colegio,
asume encantada ese papel.

A partir de ahora,
Pupi vivirá grandes aventuras en la Tierra
junto a sus amigos: Bego, Blanca, Coque,
Nachete y Rosy.

TE CUENTO QUE JAVIER ANDRADA...

... sabe perfectamente lo que es sentirse extraterrestre. Una vez, de pequeño, participó en un intercambio escolar con un colegio de Francia. Cuando llegó allí y se vio rodeado de gente que solo hablaba francés, creyó que había viajado a Marte.

Al principio no había manera de entenderse, y entre lo poco que sabía del idioma y la pronunciación... ¡hasta la cosa más simple se convertía en complicadísima!

Pero le gustó tanto Francia y le trataron tan bien, que a los tres días lo entendía todo, ¡o al menos eso le parecía! Porque, igual que le pasa a Pupi, a veces no entendía la «lógica terrícola» de los franceses, lo cual provocó unas cuantas situaciones curiosas y divertidas. En definitiva, que aunque Francia esté bien cerquita de España, para él fue todo un viaje intergaláctico.

Javier Andrada vive en Barcelona y trabaja como ilustrador para varias editoriales de prestigio. Sus ilustraciones aparecen tanto en novelas como en libros de texto, cuentos, pictogramas y clásicos adaptados. Ha diseñado proyectos para publicidad y teatro infantil diseñando escenografías.

TE CUENTO QUE MARÍA MENÉNDEZ-PONTE...

... cuando era pequeña, creía que a los bebés los traía una cigüeña desde París. Es más, estaba convencida de que a ella la había dejado en un planeta equivocado. Los terrícolas le parecían rarísimos, como a Pupi: no tenían ninguna lógica ni en lo que hacían ni en lo que decían. Y era igual de aventurera que él, aunque la mayoría de las veces sus aventuras se descontrolaban, como las antenas de Pupi, y acababan en catástrofes. Además, se pasaba el día soñando. Con su loca imaginación viajaba hasta la luna y muchos otros planetas. Fue entonces cuando descubrió el planeta Azulón, que era su color preferido, y cuyo suelo era como una gran cama elástica. Saltando en él podía tocar las estrellas y columpiarse en la luna, que era un balancín gigante. Y ya veis que no estaba equivocada, porque años más tarde, ¡llegó Pupi desde ese mismo planeta Azulón!

María Menéndez-Ponte nació en A Coruña. Ha escrito casi 300 composiciones, entre cuentos y novelas, para niños y jóvenes. En 2007 recibió el Cervantes Chico, uno de los premios más prestigiosos de literatura infantil y juvenil.

Si te ha gustado este libro, visita

LITERATURA**SM**•COM

Allí encontrarás:

- Un montón de libros.
- Juegos, descargables y vídeos.
- Concursos, sorteos y propuestas de eventos.

¡Y mucho más!

 Para padres y profesores

- Noticias de actualidad, redes sociales y suscripción al boletín.
- Propuestas de animación a la lectura.
- Fichas de recursos didácticos y actividades.